MARIE POTVIN

Zoélie l'allumette

5. Le casseur de vitres

Gouvernement du Québec – Programme de crédit d'impôt
pour l'édition de livres – Gestion Sodec

info@lesmalins.ca

Éditeur: Marc-André Audet
Éditrice au contenu: Katherine Mossalim
Auteure: Marie Potvin
Directrice artistique: Shirley de Susini
Conception graphique: Shirley de Susini
Mise en page: Diane Marquette
Illustratrice: BACH illustrations
Illustrations intérieures: Shirley de Susini
pour les pages 47, 99, 138, 161, 174, 190 et 237
Correcteurs: Corinne De Vailly, Fanny Fennec, Jean Boilard

Dépôt légal – Bibliothèque et Archives nationales du Québec, 2017
Dépôt légal – Bibliothèque et Archives Canada, 2017

ISBN: 978-2-89657-575-6

Imprimé au Canada

Les éditions Les Malins inc.
Montréal, QC

Financé par le gouvernement du Canada

Pour toi qui rêves de voyager dans le temps.

Table des matières :

Chapitre 1

L'union

— Cléo ! Cléo !

Le nuage blanc qui vient de se former autour des deux Cléo se dissipe lentement. Incapable de me retenir, je m'élance à travers la fumée pour les retrouver tous les deux. J'ai peur que Cléo-vivant se soit brûlé la main. Ça lui prendra certainement un bandage et de la crème pour soulager sa peau meurtrie !

chapitre 1

— Zoélie ! s'écrie Baptiste. N'interviens pas ! Ça peut être dangereux !

Mais c'est mal me connaître. Cléo est trop important pour moi.
Je ferais n'importe quoi pour le protéger, même de lui-même ! J'avance à travers la fumée opaque, mains tendues vers l'avant comme si j'avais les yeux

fermés. Ce n'est pas comme la fumée d'un feu de bois, c'est plutôt une espèce de buée très dense. Je ne vois même pas mes propres doigts ! J'arrive finalement à retrouver Cléo. Je sais qu'il est là parce qu'il marmonne quelque chose.

— Cléo ?

Il ne répond pas, mais j'entends ses gémissements.

Non pas de souffrance, plutôt comme s'il était en état de choc. Inquiète, j'agite les émanations blanches avec impatience. Elles se dissipent lentement et je peux finalement discerner la silhouette de mon ami.

Il n'y a qu'un seul Cléo.

Il fixe ses doigts qu'il agite dans tous les sens, comme s'ils venaient de

pousser au bout de ses mains.

— Cléo ! Est-ce que ça va ?

Il ne me répond toujours pas. On dirait qu'il est pétrifié. Je commence à m'énerver sérieusement.

— Où est l'autre Cléo ? Lequel es-tu, le fantôme ou le vivant ?

Crotte de brebis ! Je ne sais même plus qui j'ai devant moi. Sans le toucher (si c'est le fantôme, je recevrai un choc et je n'en ai pas du tout envie), j'essaie de voir ses yeux. Sont-ils humains ou scintillants comme ceux des fantômes ?

— Regarde-moi, Cléo !

Crotte de couleuvre, on dirait qu'il ne m'entend pas. Il agite ses doigts un à un, la bouche grande ouverte. D'abord la main droite, puis il reprend le même manège avec la gauche.

— Hé ! Où est l'autre Cléo ? Encore disparu ? demande Baptiste qui vient de s'approcher. C'est quoi,

ce brouillard ? J'ai du mal à
vous voir ! Est-il brûlé ?
A-t-on besoin d'une

ambulance ? Est-ce que les ambulances existent, en 1903 ?

La liste incessante de questions de Baptiste m'étourdit.

— Shhh ! Je ne le sais pas, Baptiste ! dis-je, sans cesser de surveiller Cléo.

Ce dernier lève finalement son regard vers moi.

Ses pupilles sont si dilatées que je ne vois que deux billes noires.

— Non, il n'a pas disparu, murmure-t-il.

— Alors, où est-il ? s'énerve Baptiste, maintenant aussi impatient que moi.

Cléo (je ne sais pas lequel !) tourne lentement

sur lui-même, il agite ses pieds comme s'il voulait les tester. La fumée est presque entièrement partie, nous pouvons donc le voir plus clairement.

Maintenant qu'il est plus calme, je peux apercevoir ses iris. Ils sont d'un bleu plus vif que ceux de Cléo-vivant, mais sans la brillance inhumaine du fantôme. C'est une teinte entre les deux. Comment est-ce possible ?

— Vous ne me croirez pas..., dit-il lentement. Je n'y crois pas moi-même !

— Quoi ? Parle ! dis-je en m'efforçant de ne pas hurler.

— Le fantôme est toujours ici.

— Alors, tu es le Cléo-vivant ! Où est passé le fantôme ? le questionne Baptiste. Je ne vois pas la boule de lumière !

— Ne cherche pas une boule de lumière. Il est en moi. Je suis lui ! affirme Cléo d'une voix si basse que nous avons peine à l'entendre.

On dirait qu'il manque de souffle pour parler.

— Tu veux dire que... que... Il est entré dans ton corps ? Vous êtes les deux Cléo dans un seul corps ? dis-je, hésitante.

— On dirait bien, confirme-t-il.

— Wow ! fait Baptiste, interloqué.

— Tu en es sûr ?

Je pose cette question parce que je suis incapable de me faire à l'idée que ç'ait vraiment pu se produire.

— Oh que oui ! Je me sens assez bizarre pour en être convaincu ! Plein de souvenirs et de sensations s'entremêlent dans ma tête. Je suis réellement celui que nous venons de retrouver en 1903 ET je suis le

fantôme du futur !

En proie à une joie incontrôlable, Cléo se met à sautiller sur place. Son bonheur semble si intense que j'ai envie de fêter avec lui.

— J'ai un corps ! Je suis vivant ! s'exclame-t-il. Et je vois des images du futur ! Dans ma tête, je vois des drôles de machines qui avancent sans chevaux !

Wow, ça doit être les automobiles de ton époque ! C'est fouuu !

Il me prend les mains pour me faire tourner et tourner, puis saisit les épaules de Baptiste pour le secouer avec gaieté.

— Je me souviens de tout ! dit-il. De cette dernière journée avec la chauve-souris, et de vous

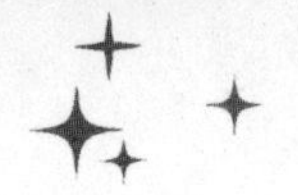

deux, et de ce que nous avons vécu ensemble dans votre futur. Je me souviens de toi, dit-il à Baptiste en fronçant les sourcils. Tu n'as pas toujours été aussi gentil, hein ! Embêter Zoélie en la menaçant de lui sabler le visage, ce n'était pas ton meilleur moment ! Je t'ai donné la nausée, ce jour-là !

— Je pense que je le méritais, répond Baptiste, honteux.

L'expression de Cléo se radoucit.

— Mais je me souviens aussi à quel point tu as changé et que tu es devenu notre ami, le rassure-t-il. En même temps, c'est grâce à ta méchanceté si j'ai été réveillé par Zoélie. Alors, merci... d'une certaine façon.

Baptiste éclate de rire et me fait un petit air de vainqueur.

— Ne t'attends pas à ce que je te remercie de m'avoir traitée comme du poisson pourri ! dis-je, en pointant un index menaçant vers lui.

Il lève les mains avec un air coupable.

— Je sais… Je sais… J'étais vraiment stupide, admet-il tristement.

— Ça va aller ! Ce ne sont que de mauvais souvenirs, dis-je avec un petit sourire.

Je ne veux pas gâcher ce moment magique avec notre sombre passé.

Nous ne parlons jamais de cette époque où Baptiste me malmenait. Je sais qu'il a honte, et surtout, qu'il a changé. Il est mon ami, désormais, et c'est tout ce qui compte à mes yeux. S'il ne l'était pas, jamais il n'aurait accepté de me suivre en 1903 !

— Sainte-Chipotte ! Je n'en reviens pas ! Je n'en reviens pas !

Le juron énervé de Cléo sort de mes pensées. Baptiste et moi, nous nous lançons un regard perplexe, tandis que Cléo secoue ses jambes, ses bras, se touche la tête, les joues, le cou... On dirait qu'il vient vraiment de prendre conscience de ce qui lui arrive.

— Jamais je n'aurais cru que ça serait possible ! s'exclame-t-il. Wow ! C'est génial ! Quand j'ai vu que les deux Malvina avaient un gros problème, j'ai regardé l'autre Cléo et ce fut comme si le geste était inévitable. Nous avons voulu célébrer ça en nous serrant la main et paf ! La buée blanche s'est mise à apparaître autour nous !

— C'est vraiment super..., dis-je, maintenant plus calme.

Cléo pose sur moi un regard espiègle. Que manigance-t-il ?

UN PETIT TEST ! ZOÉLIE, M'ENTENDS-TU ? (CLÉO)

AFFIRMATIF ! (MOI)

FANTASTIQUE ! NOUS POUVONS TOUJOURS COMMUNIQUER PAR TÉLÉPATHIE ! (CLÉO)

TANT MIEUX ! (MOI)

— Alors, le fantôme n'est vraiment plus là ? s'inquiète Baptiste. Il ne réapparaîtra pas pour nous faire sursauter en disant que ce n'était qu'une blague ?

— J'en serais très étonné ! Il est EN moi ! Je suis dans mon corps. Je suis aussi vivant que toi, Baptiste ! insiste Cléo en riant.

— Je crois que nous avons vraiment accompli notre mission ! Mais, les amis... n'oubliez pas que nous avons un autre problème ! nous avertit Baptiste.

Notre petit moment festif vient de s'éteindre. Sur le terrain des Biron, la fumée noire commence à s'estomper un peu. Sûrement alerté par les cris de Malvina, le maire Biron est sorti en trombe avec son fils.

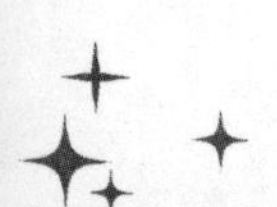

— Oh, non ! La chauve-souris et Malvina se sont probablement unies, elles aussi !

— Si nous sommes chanceux, lorsque la fumée se dissipera, il ne restera de Malvina que des cendres !

Je retiens mon souffle avec l'espoir que le vœu de Cléo se réalise.

Chapitre 2

Pouvoirs perdus

La fumée noire se disperse lentement sous les yeux arrondis de terreur du maire Biron et de son fils. Je croise les doigts pour que Malvina et sa chauve-souris se soient toutes les deux volatilisées !

Malheureusement, nous n'avons pas une telle chance. Dès que la nuée sombre se dissipe, nous apercevons Malvina, sous sa forme humaine, écroulée au sol. La bestiole ne semble plus être là. Sans hésiter, le maire Biron se jette sur sa sœur pour saisir son poignet et vérifier son pouls.

— J'espère qu'elle est morte, marmonne Cléo.

Moi aussi, mais je me tais. Je suis superstitieuse et faire le vœu de la mort d'autrui porte malheur, j'en suis sûre.

— Nous n'aurons pas cette chance, nous annonce Baptiste. Regardez, elle vient d'ouvrir les yeux. On dirait qu'il y a quelque chose sur son bras ! Je ne vois pas bien d'ici...

— La manche de sa robe a brûlé ! Oh... il y a vraiment un truc sur son poignet ! Ça bouge !

Quelque chose qui bouge ? Je dois regarder. Je plisse les paupières pour mieux voir. C'est... aaaaaarkkkk ! Malvina a des ailes de chauve-souris soudées à son bras !

— Oh, mon Dieu ! dis-je tout bas. Oh, mon Dieu ! Oh, mon Dieu !

— Batince, Zoélie ! Qu'est-ce qu'il y a ? s'enquiert Cléo.

— Regardez comme il faut ! La chauve-souris s'est incorporée au bras de

Malvina, mais les ailes sont restées intactes ! Elles lui sortent de la peau !

— Ooooh ! C'est trop fou ! s'exclame Baptiste. Elles bougent encore, en plus !

— Elle n'a que ce qu'elle mérite, affirme Cléo. Des ailes de chauve-souris dans le bras, c'est dégoûtant !

— Très dégoûtant ! J'ai hâte de voir si elle va aimer ses excroissances ! ajoute Baptiste.

Quelques secondes plus tard, des cris stridents proviennent de la cour des Biron. La réaction de Malvina à la vue des ailes noires logées dans son bras est spectaculaire. On dirait que quelqu'un la menace

avec une tronçonneuse. Des cris presque inhumains sortent de sa gorge. Malvina, le bras en l'air, court dans tous les sens. Le maire Biron et son fils sont horrifiés et s'élancent pour fuir la femme hystérique.

— Regardez-la ! ricane Baptiste. Ha ! Ha ! Ha ! C'est bien fait pour elle !

— Moi, je vote pour qu'on retourne se réfugier chez Ange ! propose Cléo, qui ne se réjouit pas autant que Baptiste. Plus vite je pourrai m'éloigner de Malvina, mieux je me porterai. Surtout si elle est encore plus folle qu'elle ne l'était auparavant !

— Moi aussi, je veux mettre de la distance entre

nous et cette femme, mais la chambre froide qui pue l'humidité, très peu pour moi, ajoute Baptiste.

— Non, en fait... je suggère que nous racontions tout à Ange. Je n'imagine pas meilleure alliée pour nous aider.

Baptiste et moi dévisageons Cléo avec stupeur.

— Ben quoi ! se défend ce dernier. Zoélie, tu m'as bien convaincu et j'étais aussi ignorant de la situation qu'Ange l'est présentement ! En plus, j'ai vraiment faim. N'oublie pas que je n'ai pas mangé depuis un siècle ! Si nous lui racontons toute la vérité, Ange nous offrira le toit et le couvert. À moins que vous préfériez dormir à la belle étoile ? Les nuages

sont un peu gris ; si nous sommes chanceux, il ne pleuvra pas trop fort durant la nuit...

Nous levons les yeux au ciel. Cléo n'a pas tort les nuages se font lourds.

— OK, faisons ça. Nous aurons besoin de manger et je n'ai aucune envie de me faire prendre à voler une tarte ni de dormir dans une flaque d'eau, dis-je en fronçant les sourcils.

— Moi non plus, renchérit Baptiste.

C'est décidé ! Nous reportons momentanément notre attention sur Malvina. Son frère et son neveu se sont calmés et examinent les excroissances sur le bras de la femme. Les ailes remuent, comme si la bête voulait sortir. C'est fascinant et terrifiant à la fois !

Lorsque le maire Biron relève la tête pour inspecter les alentours, nous nous immobilisons derrière la haie. Il ne nous a pas vus, heureusement. Dès lors, je l'entends parler. Même s'il croit être discret, le maire Biron a une grosse voix qui porte loin.

— Il faut garder le secret ! déclare-t-il.

Cache ton bras, Malvina, et entrons dans la maison avant qu'un visiteur arrive !

Nous ne pouvons pas nous empêcher de rigoler à voix basse.

— Mon ancêtre ne sait pas chuchoter, on dirait ! observe Baptiste.

— Je m'ennuie déjà de ne plus pouvoir l'espionner

sous la forme d'une boule de lumière ! se plaint Cléo. J'aurais pu les suivre dans la maison pour écouter leur conversation.

— C'est vrai, ça ! Tes pouvoirs de fantôme vont nous manquer. C'est un peu dommage que tu les aies perdus. On peut à peine entendre ce qu'ils se racontent, gronde Baptiste.

Ça ne te tenterait pas de mourir de nouveau pour retrouver ce beau don ?

Baptiste bat des cils avec un sourire niais en direction de Cléo.

— Très drôle ! marmonne ce dernier.

— Du calme, les gars ! Ce n'est pas le moment de vous chamailler ! Ne voyez-vous pas à quel point vous êtes ridicules, tous les deux ? Sérieusement, Cléo, peut-être que tu peux encore devenir une boule de lumière. Il faudrait essayer, dis-je avec espoir.

Cléo fronce les sourcils à cette idée.

— Tu as raison, Zoélie ! Je n'ai rien à perdre à tenter le coup.

Il clôt les paupières et se concentre très fort. C'est fascinant. On dirait que ses cheveux, ses doigts et le bout de ses pieds nus scintillent. Ce n'est pas très fort, mais c'est tout de même un excellent signe.

— C'est un bon début, admet Baptiste.

Cléo laisse sortir de sa bouche une grosse bouffée d'air.

— Je ne pense pas pouvoir me transformer en boule de lumière. Ça ne fonctionne plus. On dirait bien que ma carcasse humaine est comme la vôtre. Je ne peux plus me métamorphoser.

— Je crois que tu n'auras qu'à t'exercer comme tu viens de le faire. Quand tu te concentrais, les extrémités de tes membres brillaient.

À cette information, le visage de Cléo s'éclaire.

— Vraiment ? Peut-être qu'avec beaucoup d'entraînement, je pourrais avoir le meilleur des deux mondes. Être vivant comme vous, mais avec mes pouvoirs de fantôme !

— Ça serait super, dis-je. Au moins, notre télépathie fonctionne toujours, c'est toujours ça de gagné.

EN EFFET ! (CLÉO)

Puis, Cléo se fige sur place et plaque sa paume sur son front.

— Batince ! s'exclame-t-il. On a un sérieux problème, les amis !

— Ah, oui ? Lequel ? demande Baptiste.

— Réfléchissez un peu ! Si moi, en me liant à mon corps de 1903, je possède tous les souvenirs de mes deux existences, alors ça doit être le cas de Malvina aussi.

— Tu veux dire que la Malvina de 1903 viendrait d'acquérir tous les souvenirs de la chauve-souris ? dis-je d'une voix nerveuse.

Cléo hoche la tête.

— C'est bien ce que je crois. Cela voudrait dire que la Malvina du futur, celle qui tentait de communiquer avec

Baptiste, est maintenant dans un vrai corps de vivante. Elle fait désormais un avec elle-même, exactement comme moi !

Baptiste écoute Cléo attentivement pour ne pas perdre un seul mot de son hypothèse. Toutefois, il n'est pas entièrement convaincu.

— Mais ce qui lui est arrivé n'est pas tout à fait comme pour toi, Cléo. La chauve-souris n'est qu'à moitié soudée au bras de Malvina.

Secoués par la déduction logique de Baptiste, nous réfléchissons tous les trois en silence. C'est Cléo qui reprend la parole en premier :

— Tu as raison, Baptiste. Le « soudage » des deux Malvina n'est pas comme celui de moi et mon fantôme. Mais il est très possible que la Malvina de 1903 ait quand même reçu tous les souvenirs de la chauve-souris. Elle saura donc qui nous sommes, de quoi nous avons l'air et que je suis avec vous !

Crotte de raton laveur ! La situation vient de se retourner contre moi. Malvina voudra sûrement tirer une vengeance ridicule à mon égard, en plus de vouloir éliminer Cléo !

Mes deux amis saisissent mes bras juste comme je faiblis un peu.

— Ne t'en fais pas, Zoélie ! Nous allons

te protéger, m'assure Cléo. Pas vrai, Baptiste ?

— Bien sûr ! convient celui-ci. Cléo, ne te crois à l'abri de Malvina. Je serai là pour toi aussi. Mes liens avec elle pourront certainement servir.

— Tant que tu ne risques pas ta vie pour moi, Baptiste. Notre priorité, c'est Zoélie, d'accord ?

— Évidemment, les femmes d'abord ! renchérit Baptiste en bombant la poitrine.

— Merci les gars... C'est vraiment touchant toute cette galanterie, mais personne ne sera la priorité de qui que ce soit. Soyons solidaires, tout simplement. Vous êtes tous les deux ma priorité. Maintenant, dites-moi, avez-vous la moindre idée de la façon de retourner à notre époque ?

Baptiste et Cléo se regardent et haussent les épaules en même temps.

— Peut-être qu'il s'agit tout bonnement de sortir par la porte par laquelle nous sommes entrés ! suggère Baptiste. C'était

une porte magique, elle l’est sûrement toujours.

— Ne sommes-nous pas sortis par cette porte, tout à l’heure ? dis-je.

— Je ne sais plus, dit Baptiste, en se grattant la tête. Il me semble que oui... Et si c'est le cas, cela signifie que ce n'est pas la façon de s'y prendre pour retourner chez nous !

— Crotte de perroquet, je ne me souviens plus ! Mais il me semble bien qu'on est passés par la porte magique d'entrée au moins une fois.

Tout est arrivé si vite que je n'ai pas remarqué quelle porte nous avons utilisée pour sortir de la maison d'Ange ! Il faudrait réessayer cette porte, tout simplement, dis-je d'un ton plein d'assurance. Sortir par où nous sommes entrés. Si, après un vrai test, ça ne fonctionne pas, nous pourrons paniquer ! D'ici là, restons calmes.

Au visage soudain inquiet de Baptiste, je constate que la panique l'a déjà gagné.

— Oh, mon Dieu ! se désole-t-il. Si le test ne fonctionne pas, nous sommes pris ici ! Nous ne pourrons jamais retourner dans le futur et nos parents croiront que nous avons été kidnappés !

Il a raison. De plus, ça me fait penser que je ne sais pas si ma mère s'est rendu compte que je ne suis plus là. Je me rassure vite : occupée comme elle l'est tout le temps, ça lui prendra un long moment avant de me chercher.

— Allons chez Ange. Racontons-lui tout, décide Cléo. Elle a souvent dit

qu'elle m'aurait adopté si elle avait eu le temps de me connaître. Elle nous recueillera sûrement jusqu'à ce que nous trouvions la solution pour retourner dans le futur. De plus... mes amis, avant de nous presser à rentrer, nous devons réfléchir à ce qu'il adviendra de moi. Si je pars avec vous, je n'aurai pas de maison où habiter.

Baptiste se frotte le menton pour se creuser les méninges.

— Tu as raison, Cléo. Ne prenons pas d'action hâtive. Nous ne retournerons chez nous que lorsque nous aurons un bon plan pour toi. En attendant, au moins, chez Ange, nous ne dormirons pas à la belle étoile, affirme-t-il.

— Et une fois qu'elle saura toute notre histoire, elle voudra peut-être s'occuper de toi !

— Ça serait bien si Ange acceptait de m'aider. Et peut-être qu'elle nous nourrira ! ajoute Cléo.

— Ouais ! s'égaye Baptiste. J'ai vraiment faim...

Chapitre 3

Une histoire à dormir debout

Ange nous accueille avec plaisir dans sa cuisine. Elle paraît encore un peu ébranlée. C'est vrai que nous l'avons beaucoup énervée avec Cléo qui était évanoui dans sa chambre froide. Elle qui ne savait

même pas qu'un garçon errait dans son sous-sol !

— Est-ce que ça va bien, Madame ? Vous semblez un peu déroutée. J'espère que nous ne vous avons pas trop tracassée, tout à l'heure.

— Ma belle enfant, ça va bien, me rassure-t-elle. J'ai été très inquiète pour votre ami, c'est vrai. Mais, à ce

que je vois, tout semble être rentré dans l'ordre, alors j'en suis heureuse. Vous avez faim ?

Sur le feu bouillonne ce qui doit être un ragoût, si je

me fie à l'odeur délicieuse qui émane du chaudron. Vêtue de cette robe jaune et de ce tablier fleuri que nous connaissons déjà si bien dans le futur, elle chantonne une petite mélodie avec gaieté. Portait-elle cette robe, quand nous l'avons vue, un peu plus tôt ? Je n'en suis plus certaine.

— Nous sommes affamés ! déclare Baptiste.

Enfin, il sera nourri et rassasié ! Il se plaint de son ventre vide depuis que nous sommes arrivés.

— Ça tombe bien, mon ragoût est presque prêt, annonce Ange.

Nous mangeons en silence, chacun trop occupé

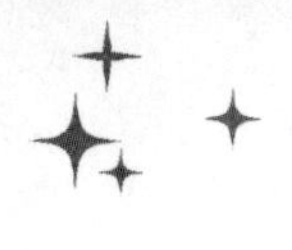

à se remplir l'estomac comme un goinfre. Ange s'est jointe à nous, mais ne fait que picorer dans son assiette.

— Je suis très heureuse que vous soyez tous revenus, dit-elle.

Son attention s'attarde sur Cléo, qu'elle fixe intensément.

— Est-ce que ça va mieux, jeune homme ? Tu avais perdu connaissance dans ma chambre froide, tu m'as beaucoup inquiétée, lui confie-t-elle en fronçant les sourcils.

Cléo, dont le visage est presque enfoui dans son bol, s'arrête net, la bouche encore pleine. Lentement, il saisit la serviette que notre

hôtesse a placée devant chacune de nos assiettes et essuie son menton.

— Oui, Madame. Je vais très bien. Euh... merci...

— Je suis bien heureuse de l'entendre. Dorénavant, ne te gêne pas pour venir manger avec moi. Ma porte te sera toujours ouverte.

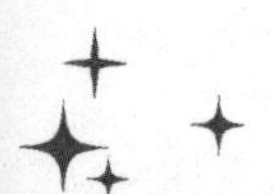

Cléo cligne des yeux, manifestement ému par l'offre inattendue. Puis, il regarde son assiette, embarrassé.

— Je dois vous avouer quelque chose de grave, Madame, énonce-t-il.

Ange lui sourit avec gentillesse.

— Tu peux m'appeler Ange, mon grand !

— D'accord, Madame Ange. Je voulais vous dire que c'était moi qui volais vos tartes... ainsi que le jambon... et toutes les autres choses que vous avez laissés refroidir sur le bord de votre fenêtre, avoue-t-il, sans lever les yeux. Je suis

vraiment désolé. J'avais si faim...

Ange incline la tête pour poser un regard attendri sur l'orphelin.

— Je m'en doutais bien, dit-elle. Je t'ai entrevu au village et j'ai reconnu tes cheveux blonds. Les mêmes qui passaient devant ma fenêtre chaque fois que je « perdais » une tarte. Et tu m'as donné une fleur presque chaque jour...

Cléo rougit. Baptiste le pointe avec sa fourchette, lui aussi, la bouche encore pleine.

— Tu es trop mignon, ricane-t-il. Tu lui offrais une fleur ! Tout un voleur, hein ! Ha ! Ha !

Nous rions tous, mangeons encore et nous détendons jusqu'à ce

qu'Ange pose LA question qui ouvre le sujet délicat.

— Les enfants, n'avez-vous pas des choses à me révéler ? Votre petite scène de tout à l'heure dans la chambre froide avec cette chauve-souris, c'était bien étrange. J'espère que vous n'avez pas tué la pauvre bête...

Cléo et Baptiste me fixent comme s'il me revenait de répondre.

— Euh... c'est une longue histoire, Madame Ange. Et en fait... euh... difficile à raconter et surtout... à croire, dis-je d'une voix hésitante.

Ange fronce les sourcils sans toutefois se départir de son sourire bienveillant.

Les deux coudes sur la table, les doigts entrelacés sous son menton, elle attend que je parle.

— Bien, c'est que… nous n'habitons pas loin. Je réside dans la même rue que vous, à quelques pâtés de maisons vers le sud. Et Baptiste, il vit près de la maison du maire.

Je modifie la vérité un tout petit peu. Je ne peux pas dire qu'il reste chez le maire, tout de même...

— Oh ! C'est bizarre que je ne vous aie jamais vus avant. Vous êtes nouveaux dans le coin ?

Je secoue la tête pour dire non.

— En fait... c'est là que débute notre histoire incroyable. Pouvez-vous nous promettre de nous écouter jusqu'au bout et de garder votre esprit très très très ouvert ?

Ange incline la tête, son attention fixée sur moi.

— Bien sûr que je le peux ! dit-elle sans fléchir.

Je considère mes amis avec incertitude. Lorsque tous deux m'encouragent d'un signe de tête, je prends une grande inspiration. Je ne sais pas vraiment comment commencer l'histoire, mais il faut bien débuter quelque part...

— En fait, nous ne sommes pas encore vraiment nés...

Ange cligne les yeux, laissant tomber ses mains à plat sur la table.

— Ah, non ? s'étonne-t-elle.

On dirait qu'elle se retient pour ne pas éclater de rire. Elle croit que je lui raconte une blague. Pire, elle pose sur nous un regard si… maternel. Elle nous prend pour des bébés qui babillent n'importe quoi !

— Nous venons du futur, nous naîtrons dans plus de cent ans, précise Baptiste.

— Et moi, j'étais un fantôme et je viens de reprendre mon corps. J'ai connu Zoélie et Baptiste dans plus d'un siècle, alors que mon esprit errait dans le cimetière, raconte Cléo. Ah, et... votre fantôme est notre amie, dans le futur. C'est justement votre fantôme qui a fait en sorte que Zoélie et Baptiste sont venus me porter secours en 1903. Mon fantôme s'y était égaré et j'étais coincé ici. Je le suis encore, d'ailleurs.

Nous continuons à raconter notre histoire à Ange qui nous écoute en silence, ajoutant plusieurs détails pour nous rendre convaincants. Nous lui parlons même du mal que Malvina a fait à Cléo et lui expliquons que la chauve-souris qu'elle a voulu sauver, c'était en fait la méchante femme. J'observe l'expression de la vieille dame, sa poitrine qui monte et descend alors que sa respiration devient saccadée. Elle retient encore son rire. Nos explications sont livrées d'une façon si… maladroite qu'il est impossible qu'elle ne croie pas à une énorme blague !

— Mes bons enfants…, dit-elle.

— C’est dommage, se désole Cléo, je ne peux plus me transformer en boule de lumière ! Ç’aurait été plus facile pour vous prouver qu’on ne ment pas !

— Madame Ange, est-ce que ça va ? demande Cléo. Nous ne voulions pas vous traumatiser !

Une larme coule au coin extérieur de l’œil gauche

de la dame, ses épaules s’agitent en soubresauts.

— Ange, êtes-vous souffrante ?

Ma question n’obtient pas de réponse. Ange pince les lèvres, puis éclate d’un rire incontrôlable !

— Ho ! Hoooo ! Haaa ! Ha ! Ha ! Ha ! fait-elle en

couvrant son nez de sa main.

— Vous croyez que nous blaguons ? dis-je.

— Évidemment que vous blaguez ! Mes amis, je suis très choyée ! Pour une vieille femme comme moi, recevoir trois gentils enfants tels que vous, c'est un vrai cadeau ! Merci beaucoup de me désennuyer avec vos histoires débordantes d'imagination. Jamais je n'ai lu de roman aussi palpitant que les intrigues que vous me racontez là !

Baptiste, Cléo et moi, nous nous dévisageons et soupirons tous les trois en même temps. Il faudra trouver un moyen de la convaincre.

Chapitre 4

Convaincre Ange

Je dois absolument trouver une preuve pour qu'Ange finisse par nous croire. Je lance un regard vers Baptiste, qui arbore une mine découragée. Cléo, de son côté, n'est pas mieux. On dirait qu'il a envie d'enfoncer son visage

entier dans son plat de ragoût.

— Mais... ce n'est pas une blague, Madame Ange, soupire-t-il.

— Tout ce que nous vous avons raconté n'est que la pure vérité, renchérit Baptiste avec conviction.

Ange saisit la théière qui chauffait sur le poêle à bois

et verse le liquide ambré dans une tasse de porcelaine délicate.

— J'aimerais tellement vous croire, les enfants. Venir du futur ! Ça serait très chouette si c'était vrai !

Nous la dévisageons tous, attentifs à ce qu'elle pourrait bien nous révéler. Ange nous observe un à un, puis fronce les sourcils.

— Sérieusement, les enfants, qu'est-ce que vous complotez ? demande-t-elle. Et où sont vos parents ? Ils doivent s'inquiéter !

Ange me regarde en posant cette question. Elle croit peut-être que je suis la plus crédible des trois. Elle sera déçue par ma réponse...

— Nos parents ne sont pas encore nés, eux non plus...

— Et les miens sont morts depuis longtemps, ajoute Cléo.

— Il doit bien y avoir une façon de vous prouver que nous disons la vérité !

— Montre-lui ton argent, Zoélie ! suggère Baptiste.

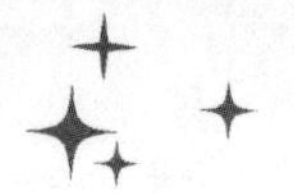

Je suis épatée par mon ami.

— Bonne idée ! dis-je avec enthousiasme, fouillant rapidement dans ma poche.

— Qu'est-ce que tu as là, Zoélie ? demande Ange.

Le billet est froissé, mais en bon état, heureusement. L'homme du magasin général aurait pu le déchirer en mille miettes. Je le déplie lentement, espérant y trouver l'année de production.

— Regardez, Ange ! C'est un billet de banque de notre époque.

Ange le saisit avec crainte, comme s'il était une bête vivante qui pourrait lui sauter au visage. Lorsque je m'aperçois que ses doigts

tremblent, j'ai tout de suite bon espoir qu'elle soit énervée parce qu'elle est en voie de finalement nous croire.

— C'est Sir John A. Macdonald ! s'exclame-t-elle. Il était premier ministre du Canada jusqu'en 1891. Où avez-vous pris ces photos ? Elles

sont vraiment claires et détaillées, c'est incroyable !

— Ce n'est pas nous qui avons fait ce billet de banque. Nous n'avons pas les machines pour fabriquer de l'argent ni pour faire un travail aussi professionnel. C'est évident, non ? Est-ce que vous avez la technologie pour faire ce genre d'amalgame de polymère et de papier en 1903 ? Et puis, regardez, tout en haut de la coupure, à droite, c'est bien écrit : ÉMISSION 2013. Cela signifie que le billet a été produit dans cent dix ans !

Ooooh que je suis contente d'avoir écouté quand le monsieur de la banque est venu nous faire un petit cours sur la fabrication de la monnaie !

Ange palpe le billet et plisse les yeux, elle semble avoir de la difficulté à lire.

— Baptiste, dit-elle, sur le comptoir de la cuisine, près du poêle à bois, il y a ma loupe. Tu peux me l'apporter, s'il te plaît ?

Sans se faire prier, mon ami se rue vers l'endroit indiqué. Une fois la loupe en main, Ange tente de lire.

— Oh, mon doux ! Oh, mon doux ! souffle-t-elle. C'est vraiment un billet fabriqué en 2013 ?

— Est-ce que vous nous croyez, maintenant, Ange ? s'enquit Baptiste.

Cette dernière dépose sa loupe sur la table et je remarque aussitôt que ses mains tremblent. On dirait bien que la réalité commence à entrer.

— Vous... vous... venez réellement du futur ? demande-t-elle d'une petite voix. Je pense que je suis bonne pour l'asile. Comment est-ce possible ?

— Grâce à vous, dis-je.

— Moi ?

— Votre fantôme... qui est encore dans notre futur. Il attend que nous revenions.

— Quand vous disiez « votre fantôme » tout à l'heure, vous parliez réellement de moi, mais en fantôme ? Ça existe

vraiment, les fantômes ? demande-t-elle.

— Bien sûr, puisque j'en étais un ! déclare Cléo. Et puis, regardez ! Je vais me concentrer très fort, et vous verrez que mes mains et mes pieds deviennent lumineux.

Sans attendre, Cléo ferme les yeux et tombe dans une sorte de transe. En effet,

comme lors de sa dernière tentative, ses mains s'illuminent, ainsi que ses orteils. Même pour Baptiste et moi, ce phénomène est fascinant.

Pour Ange, c'est trop.

Au lieu de s'extasier et de finalement admettre que nous disons la vérité, elle se prend la tête en se levant.

— Mes amis, je dois aller m'étendre. Je crois que toute cette histoire m'a fatiguée. Je vais dormir et tâcher de me réveiller de ce rêve bizarre !

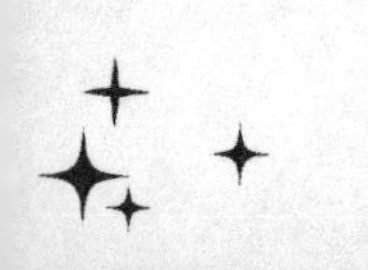

Chapitre 5

Des voitures-oiseaux

Malgré nos efforts, Ange n'a pas voulu nous croire. Elle est allée se coucher. Elle était si blême qu'on aurait vraiment dit sa version fantôme. Il ne manquait que ses iris incandescents et multicolores. Baptiste, Cléo

et moi avons décidé de respecter son choix. C'est normal qu'elle soit convaincue de rêver. Les preuves que nous lui avons montrées sont difficiles à comprendre. Peut-être qu'à son réveil, elle sera plus encline à nous écouter.

D'un commun accord, nous sortons de la maison par la porte de côté (pour

éviter la porte magique) et marchons vers le champ (le futur cimetière), où nous nous assoyons sur l'herbe sèche encore chaude des rayons du soleil.

— Même si nous sommes tout près de chez nous, remarques-tu quelque chose de très différent, Baptiste ?

Ce dernier regarde tout autour.

— Euh... tout est différent, si tu veux mon avis, Zoélie. Qu'est-ce que tu veux que j'observe de plus ?

— Le silence... Il n'y a pas le bruit constant des voitures qui passent au loin. Écoute... il n'y a que le chant des criquets.

Nous nous taisons quelques secondes et Baptiste finit par hocher la tête.

— Tu as raison, je n'avais pas remarqué. C'est vrai que dans notre vie moderne, le vrai silence n'existe jamais à l'extérieur, dit-il.

— Et dans le ciel, nous ne verrons pas d'avion.

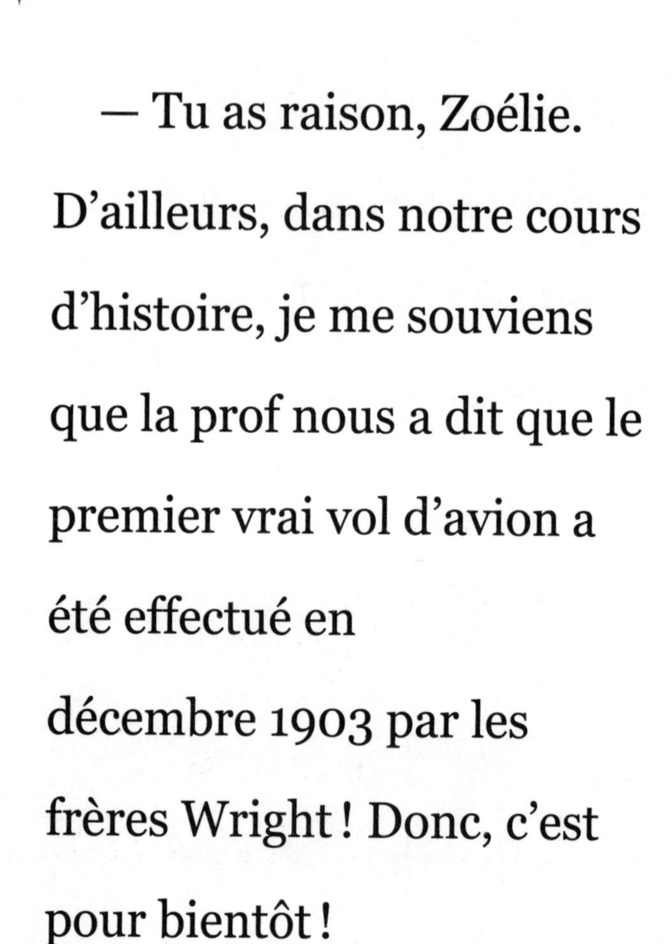

— Tu as raison, Zoélie. D'ailleurs, dans notre cours d'histoire, je me souviens que la prof nous a dit que le premier vrai vol d'avion a été effectué en décembre 1903 par les frères Wright ! Donc, c'est pour bientôt !

— Euh... c'est quoi, un avion ? demande Cléo.

Baptiste et moi, nous nous lançons un regard étonné et rieur. C'est fou, les choses que Cléo ne connaît pas.

— C'est comme une voiture, mais avec des ailes et un moteur assez puissant pour voler comme un oiseau, lui explique Baptiste.

— Et les gens peuvent acheter des billets pour y monter. On voyage partout sur la planète, grâce aux avions ! On peut voler jusqu'en Australie !

— Et jusqu'en Afrique, ajoute Baptiste avec un petit sourire.

— Nous allons voir la première voiture-oiseau dans le ciel en décembre ?

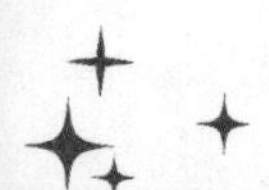

demande Cléo, les yeux ronds comme des billes.

— Pas une voiture-oiseau ! Un a-vi-on. Et ne t'excite pas trop vite, Cléo, dit Baptiste. Ç'aura lieu aux États-Unis, pas ici !

— Si tu veux voir des avions en masse, viens vivre dans le futur, dis-je en riant. Tu seras gâté.

On n'aura qu'à aller près d'un aéroport !

— Selon les souvenirs que je partage désormais avec mon fantôme, dit Cléo, j'ai vu plein de machines dans le ciel. Je ne savais pas qu'il s'agissait d'avions.

— Que croyais-tu que c'était ?

— Je n'ai pas vraiment réfléchi à ça. Je pensais que c'était le fruit de mon imagination. Comme j'étais prisonnier du cimetière, je n'ai pas pu explorer le monde avant ton arrivée, Zoélie. Personne ne m'a expliqué les choses modernes.

— Même pas Ange ?

— Elle n'en savait pas plus que moi. Et puis, je n'ai pu parler à Ange qu'une fois que tu m'as matérialisé.

— En tout cas, dis-je avec un sourire tranquille, ton époque est bien plus simple que la nôtre !

— Ça, c'est vrai, approuve Baptiste.

— Est-ce que vous aimeriez vivre à mon époque ? demande Cléo avec le même enthousiasme que s'il nous offrait l'occasion du siècle.

Baptiste et moi lui répondons du tac au tac, en chœur :

— NON !
— NON !

Chapitre 6

La solution presque parfaite

Le soleil commence à se coucher lorsque nous entendons finalement la porte grincer. En nous retournant, nous apercevons Ange qui semble nous chercher.

— Nous sommes ici !

dis-je en me levant de la pelouse.

Nous la rejoignons rapidement. Évidemment, nous avons hâte de savoir si elle a décidé de nous croire.

— Oh... vous êtes là...,

dit-elle en couvrant sa bouche de sa paume.

Nous l'entourons avec respect, sans la brusquer. Il faut qu'elle nous croie ; elle est la seule personne qui peut vraiment devenir notre alliée dans toute cette aventure qui commence à prendre une envergure inquiétante.

— Puis-je revoir le billet de banque, Zoélie ?

Je hoche la tête en fouillant dans ma poche. Je devine qu'Ange essaie de valider si elle rêve ou non. Je m'empresse donc de lui sortir la preuve que nous disions vrai.

— Le voici, dis-je.

Elle le saisit avec hésitation et précaution, comme si elle avait peur qu'il soit brûlant.

— 2013... murmure-t-elle. Alors, c'est vrai ? Vous disiez la vérité ?

Nous hochons vivement la tête, tous les trois en même temps, retenant notre souffle.

— Je n'ai pas d'autre choix que de vous croire, soupire-t-elle. Mais si vous m'avez monté un bateau, je serai très très très déçue !

— Nous disons la vérité ! confirme Baptiste.

— Youppi ! Plus de secrets ! chantonne Cléo, très heureux d'avoir enfin Ange dans notre camp.

— Et maintenant, que faisons-nous ? interroge Baptiste. Pas que je ne vous aime pas, Ange et Cléo, mais j'aimerais bien rentrer à la maison. Pas toi, Zoélie ?

— Évidemment ! dis-je, sans trop réfléchir. Sauf que nous avions convenu de nous assurer d'avoir un plan pour l'avenir de Cléo avant de partir. Quant à moi, j'aimerais que tu viennes avec nous, Cléo.

— Moi aussi, je vote pour que Cléo nous accompagne ! renchérit Baptiste.

Cléo sautille à cette idée, mais Ange pose une main sur son épaule.

— Pas si vite, Cléo. Si tu les suis, où vivras-tu ?

— C'est justement le détail qui nous empêche de l'emmener, dis-je à regret. Ma mère n'acceptera pas d'adopter un garçon qui sort de nulle part.

— Euh… je ne sais pas trop, dit-il, penaud. J'espérais y aller et ensuite, trouver une solution avec mes amis…

— Tu ne peux pas improviser une telle décision. Est-ce que Cléo pourra vivre avec vous ? Dans l'une de vos familles ? demande Ange. Est-ce que tes parents accepteraient d'adopter Cléo, Baptiste ?

Ce dernier secoue la tête.

— J'en doute fort. Il faut aussi savoir que dans le futur, tout est complexe. J'ai vu un documentaire à la télévision à ce sujet. Une famille ne peut pas adopter un enfant sans que les services sociaux fassent un million de papiers officiels.

chapitre 6

D'où nous venons, les adultes adorent compliquer les choses. Ils voudront savoir qui étaient ses parents, où il vivait jusqu'à

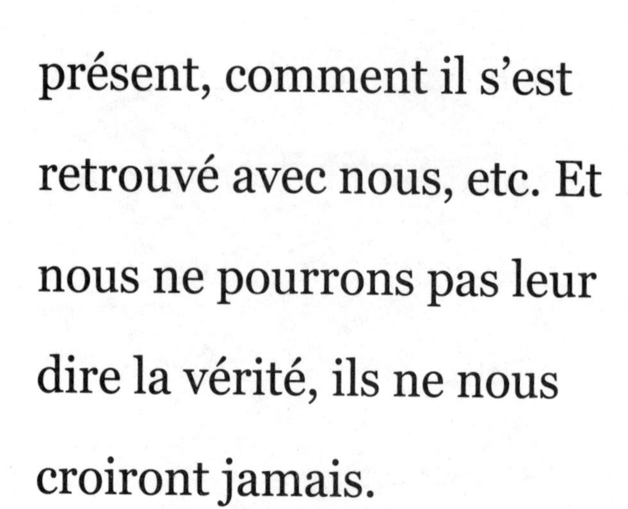

présent, comment il s'est retrouvé avec nous, etc. Et nous ne pourrons pas leur dire la vérité, ils ne nous croiront jamais.

Ange nous écoute avec attention et semble réfléchir très sérieusement. Au bout d'une longue minute, elle saisit la main de Cléo.

— Cléo, je pense que j'ai une solution parfaite pour toi... et pour moi. Si tu le veux bien, je pourrais t'adopter !

Les yeux bleus de notre ami s'agrandissent et une larme de joie coule sur sa joue.

— Vous souhaitez devenir ma maman ? demande-t-il,

la voix enrouée par l'émotion.

— Rien ne me ferait plus plaisir ! affirme-t-elle.

L'offre d'Ange me touche profondément. Je suis si contente pour Cléo que moi aussi, j'en pleure !

— Ooooh ! C'est trop émouvaaaant ! Cléo ! Tu te rends compte ? Tous tes

problèmes sont réglés. Tu auras une vie normale.

Baptiste se racle la gorge et secoue mon épaule comme pour me réveiller.

— Euh, Zoélie, je ne veux pas jouer les trouble-fêtes, mais si on s'en va chez nous dans le futur, on ne reverra plus jamais Cléo.

— À moins de pouvoir aller et revenir du futur au passé sans problème. Peut-être que la porte magique est comme un tunnel que nous pouvons utiliser à notre guise pour voyager entre les deux époques, propose Cléo.

— Ça serait le meilleur scénario ! s'exclame Baptiste, le regard

soudainement illuminé de mille étoiles.

— Ne comptons pas sur le plus beau scénario, dis-je avec prudence. Imaginons le pire, nous risquons moins d'être déçus.

— Tu as raison, Zoélie. Tu es tellement sage, dit Baptiste en soupirant. Donc, si nous retournons dans le futur sans Cléo,

au moins, il aura une maman ici et une vie normale.

— Et nous pourrons le rechercher dans le futur. Il sera juste plus vieux ! dis-je avec espoir.

— Non, fais le calcul. Il aura le temps de mourir de vieillesse avant qu'on naisse, intervient Baptiste.

J'ai toujours été nulle en mathématiques.

— Vraiment ?

— Penses-y. Il est né en...

— 1891, nous informe Cléo. À peu près ! On n'est pas sûrs à 100 %.

— OK, alors, disons 1891. Même s'il vit cent ans, il mourra en 1991, bien avant notre naissance !

Ces gros chiffres m'étourdissent. Imaginer Cléo en vieillard tout ratatiné dépasse mon entendement.

— Je serai un vieux fantôme...

— Ouais, pas mal vieux et ratatiné, remarque Baptiste. Ça ne sera pas très drôle...

— Oh, non ! Ça veut dire que je dois mourir jeune pour pouvoir être votre ami dans votre futur. En jeune fantôme, ça sera mieux ! s'exclame Cléo.

— C'est exactement ça, approuve Baptiste.

— Stoooop avec vos suppositions ! Un jeune ou un vieux fantôme, on s'en fiche, non ? Il faudrait commencer par essayer de nous rendre dans le futur, dis-je. Nous n'avons même pas encore tenté le coup.

— Mais attendez ! dit Cléo. Si vous y retournez sans moi, il faut nous assurer que vous pourrez revenir me voir. Sinon, je ne vous laisserai pas repartir !

— Il faut réfléchir. Je suis certaine que nous n'avons pas pensé à tout, dis-je en me frottant les mains l'une contre l'autre.

Mes paumes sont moites. C'est l'énervement qui me fait cet effet. Je dois puiser dans mes souvenirs pas si lointains de tout ce qui est arrivé juste avant de partir vers 1903. C'était Cléo qui s'y était rendu en premier, sous sa forme de fantôme. Il avait communiqué avec moi par télépathie...

Par télépathie ! ! ! !

— Les gars ! Je viens de me rappeler quelque chose de méga-important ! Cléo et moi, nous avons été capables de faire de la télépathie même s'il était en 1903 et moi dans le futur !

Je leur rappelle cette communication télépathique intertemporelle. Mes deux amis sautent de joie.

— C'est bien trop vrai ! s'exclame Cléo. Comment avons-nous pu oublier ce détail important ?

— C'est comme avoir un téléphone pour s'appeler, dis-je avec enthousiasme. Je pourrai tenter de trouver une solution de là-bas pour que tu puisses nous accompagner plus tard. Je devrais tenter de passer la porte magique tout de suite, pourquoi perdre davantage de temps précieux ?

— Pourquoi juste toi ? proteste Baptiste, soudainement énervé. Nous sommes venus ensemble, nous repartons ensemble !

— Allons-y alors ! Pourquoi traînons-nous ?

Devant notre empressement, Cléo devient agité.

— Zoélie... pourquoi n'attendez-vous pas à demain, pour partir ? demande-t-il d'une voix hésitante. Si vous me quittez et que nous ne trouvons jamais de façon de nous revoir, je serai très triste de ne pas avoir passé plus de temps avec vous.

Je consulte Baptiste du regard. Il hoche la tête en souriant.

— Restons un jour de plus en 1903. Ça sera amusant ! Je voulais justement explorer le village un peu plus.

Chapitre 7

Une nuit en 1903

Cléo a eu raison de notre enthousiasme à partir. Il n'a pas tort, d'ailleurs. Si nous ne pouvons pas revenir en 1903, il nous manquera beaucoup. Nous restons donc une nuit de plus. Nous avons d'ailleurs prévu de passer la journée

de demain avec lui. Nous avons l'immense chance d'avoir voyagé dans le temps, pourquoi ne pas en profiter pour en apprendre davantage sur cette époque ?

Ange nous sort plusieurs couvertures et courtepointes que nous étalons sur le plancher du salon en guise de matelas.

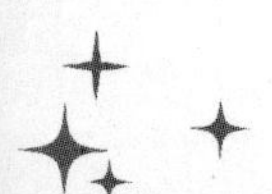

Alignés comme des sardines, nous passons une heure à faire les idiots et surtout, à ne pas dormir.

— Cléo, arrête de péter ! se plaint Baptiste.

— Ça faisait cent ans que je n'avais rien mangé, je peux bien péter tant que je veux ! proteste notre ami.

— Pouah ! dis-je en me pinçant le nez. On dirait que tes entrailles ont macéré ton repas pendant tout un siècle !

— Baptiste, pousse-toi, tu prends toute la place ! s'énerve Cléo.

— C'est toi qui prends toute la place ! Je te préférais en boule de lumière ! Ça te dirait de te rediviser ?

— Si je le pouvais, je le ferais, ne serait-ce que pour te hanter et te faire peur durant la nuit !

Cette conversation ridicule dure depuis près d'une heure. Je suis éreintée et j'aimerais vraiment dormir.

— Dois-je encore faire la discipline ? dis-je en soupirant. Vous êtes tellement bébés... Je veux dormir !

— OK, Zoélie... murmure Cléo. Baptiste va arrêter de faire le bébé...

— Hé ! C'est toi, le bébé !

Et ça reprend de plus belle... Soupir...

Finalement, au bout d'un autre quart d'heure, les gars se taisent et leur respiration devient régulière. Ouf ! Ils dorment !

C'est le premier vrai sommeil de Cléo depuis plus d'un siècle. Il a eu du mal à se positionner et bouge énormément. De plus, les deux garçons ronflent... FORT. Je dois

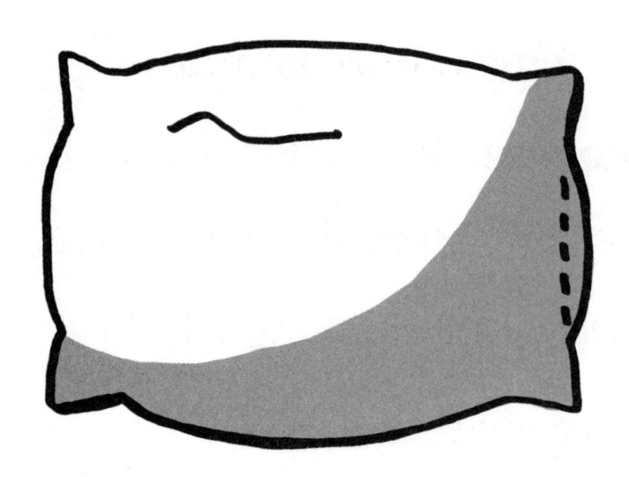

cacher ma tête dans mon oreiller pour étouffer le son de leurs râles désagréables. C'est l'enfer. Ma chambre et mon lit me manquent un peu, je dois l'avouer...

Pour rendre la nuit encore plus invivable, il y a un autre problème de taille. Dans cette maison, il n'y a pas l'eau courante, mais bien un puits sur le terrain. Qui dit eau courante dit salle de bains. Cela signifie que la maison d'Ange n'est pas équipée de toilettes modernes. La sienne se trouve dans un cabinet dans la cour arrière, exactement comme chez le maire Biron.

Ange m'a donné un pot de chambre. Il s'agit d'un bol de porcelaine muni d'un couvercle. Un peu comme une soupière, à la différence qu'il sert à faire pipi dedans durant la nuit pour éviter de sortir pour aller dans le cabinet.

— Vous pensez vraiment que je vais utiliser ça ? ai-je demandé avec réticence.

— Tu l'apprécieras. C'est mieux que d'aller dehors en pleine nuit, a-t-elle rétorqué en riant.

Elle n'a pas tort. Surtout qu'en 1903, il n'y a pas de lampes de poche et il fait noir comme chez le loup à l'extérieur. Pas de

lampadaires électriques dans ce village. Non, madame ! Juste pour ça, Cléo aura beau me supplier à genoux, jamais je n'accepterai de rester dans cette époque où aucun confort moderne n'existe.

J'arrive à m'endormir au bout de plusieurs heures à écouter les criquets et les ronflements de mes amis.

Dans mes rêves, je ne réussis plus à revenir chez moi. Résultat, je me réveille en sueur avant le lever du soleil. La bonne nouvelle, c'est que les garçons ne ronflent plus et je peux me rendormir.

J'ai l'impression que je ne dors que depuis quelques courtes minutes lorsque les gars s'agitent autour de moi. J'entends la voix d'Ange qui leur offre des serviettes pour se débarbouiller le visage dans une bassine prévue à cet effet. Il n'y a pas de lavabo ici, évidemment.

J'ai dormi tout habillée. Je porte encore mon affreuse robe de coton. Maintenant, elle est laide *et* fripée. Et ce n'est pas tout !

Je l'ai déchirée par endroits en marchant dans le champ.
Je me suis accrochée à des branches d'arbustes. Ce n'est pas le moment de faire la coquette. De toute façon, si tout va bien, dans quelques heures, je serai à la maison, je pourrai prendre une douche et me changer.

Je décide de me lever lorsque les deux garçons se mettent à me donner des petits coups de pied pour me forcer à ouvrir les yeux. C'est comme avoir deux petits frères horriblement agaçants. Pour moi qui suis fille unique et qui n'aime pas cette solitude forcée, c'est rafraîchissant.

— Allez, paresseuse ! Lève-toi ! chantonne Cléo d'un ton joyeux.

— Peux-tu croire qu'Ange doit faire bouillir de l'eau sur le poêle à bois pour qu'on puisse se laver ? Et elle a pris l'eau dehors, dans son puits, à l'aide d'une espèce de pompe comme on en voit dans les westerns !

— Depuis que j'ai dû utiliser un pot de chambre, plus rien ne m'impressionne, dis-je en me levant.

— C'est fascinant, comment les gens vivaient, hein, Zoélie ? commente Baptiste.

— Parlez pour vous, proteste Cléo. C'est à votre époque que c'est bizarre...

— Et tu n’as pratiquement rien vu, dis-je en riant.

Cléo me fait un air triste et murmure :

— On dirait bien que je n’en verrai pas plus.

La tristesse m’envahit soudain. Cléo a probablement raison.

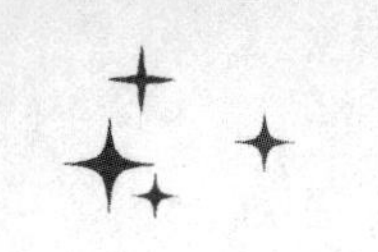

Chapitre 8

Des coups à la porte

— Zoélie ! Qu'est-ce que tu as ? demande Cléo. Tu ne manges pas ?

— Hein, quoi ?

— Youhouuu ! fait Baptiste en agitant sa fourchette devant

mon visage. On dirait que tu es dans la lune.

— Je réfléchis...

— À quoi donc ? me questionne Ange.

— Je pensais à ma mère. Je me demande si elle s'inquiète.

Baptiste soupire et dépose sa fourchette.

— Tels que je les connais, mes parents doivent avoir lancé un avis de disparition, dit-il.

— Peut-être que nous réapparaîtrons à la minute

même où nous sommes partis, qui sait ?

— Espérons-le, dit Baptiste. Si c’est le cas, nos parents ne se seront rendu compte de rien !

Nous terminons nos assiettes quand on cogne à la porte. Ange se raidit instantanément. On dirait qu’elle n’est pas habituée à avoir de la visite. Le

contraire m'aurait surprise. Elle a admis de nombreuses fois être bien seule dans la vie.

— Vous voulez que j'ouvre, Ange ? demande Baptiste.

— Non, dit-elle fermement. Allez tous dans le salon et fermez la porte.

Nous obéissons sans attendre. Les coups se répètent, comme si le visiteur était impatient. Même si je ferme derrière nous, je n'hésite pas une seule seconde à écouter ce qui se passe dans la cuisine.

Chapitre 9

Une visite surprise

— Shhhh, les gars ! Je n’entends rien !

Alors que mon oreille est encore collée à la paroi de bois (c’est une nouvelle habitude, on dirait !), des voix parviennent à travers le mur. Tout ce que je comprends, c’est qu’Ange

joue les innocentes pour éviter d'avoir à dévoiler notre présence. Ils sont plusieurs, si j'en crois les différentes voix qui s'entrecoupent.

— Bonjour, messieurs ! Non, je n'ai pas vu de garçon traîner dans les parages, dit-elle aux visiteurs. À quoi ressemble-t-il ?

— Il est blond et il est âgé d'environ douze ans. Il rôde dans le village depuis quelques semaines, fait la voix masculine.

— Pourquoi le cherchez-vous ? demande Ange. Est-il dangereux ? Dois-je me méfier ?

— C'est un petit garnement qui se nomme Cléopold Lalonde. Grâce à ma sœur Malvina, nous avons fini par l'identifier. Il s'est enfui de l'orphelinat après y avoir commis de nombreux méfaits, dont du vandalisme et du vol de nourriture. Il a été vu avec un autre garçon et une fille. Selon nous, ils sont louches. Personne ne les connaît. Nous sommes d'avis qu'ils sont complices des mauvais coups du petit

Lalonde. Malvina l'a vu piquer des bonbons au magasin général, et des citoyens sont convaincus qu'ils l'ont vu se faufiler à l'intérieur de quelques maisons. C'est ce qui nous préoccupe le plus. Vous savez comme moi que, dans un petit village comme le nôtre, tout le monde se connaît. Nous nous méfions des nouveaux venus.

Surtout des voyous qui ne portent pas de chaussures ! Et récemment, on a brisé plusieurs de mes fenêtres, dit-il.

— Chez nous aussi ! font quelques voix d'hommes.

— Eh, bien, Monsieur le Maire, si je les vois, je serai la première à vous en parler ! Au revoir !

— Veillez à bien verrouiller vos portes, Madame Legros. On ne sait jamais. Une femme seule est plus vulnérable. Nous faisons le tour de toutes les familles pour les aviser de garder l'œil ouvert. Tout le village sera au courant que trois sacripants rôdent dans les parages.

— Si vous les trouvez, qu'en ferez-vous ? demande Ange.

— Nous les enverrons à l'école de réforme. Ils auront besoin de se faire redresser !

— Ils n'auront que ce qu'ils méritent ! fait une autre voix masculine.

— Merci d'être passés, c'est bien apprécié.

— Si vous voyez ces garnements, avisez-nous sans tarder, dit le maire. Bonne journée, Madame Legros !

La porte claque et les pas d'Ange s'approchent du salon où nous sommes enfermés. Elle ouvre et entre dans la pièce, les mains sur les hanches, le front plissé.

— Ange, c'est quoi, une école de réforme ?

Ma question semble la troubler encore plus qu'elle ne l'était déjà.

— C'est un endroit où on envoie les délinquants, dit-elle, sans ajouter de détails.

— Vous voulez dire, les jeunes voleurs, fugueurs et casseurs de vitres ? demande Cléo, maintenant blême. J'en ai déjà entendu parler. C'est horrible, là-bas !

Cléo est dans tous ses états, et il a raison. S'il fallait qu'on nous envoie là-bas, ça serait affreux !

— Mais… ils verront bien que nous ne sommes pas des voleurs ! Nous ne sommes pas des délinquants !

Bizarrement, à la suite de mon affirmation, le regard d'Ange se pose directement sur Cléo.

— Les enfants, je crains que Malvina ait commencé à faire des ravages. Elle raconte des histoires à votre sujet et les villageois en rajoutent parce qu'ils adorent se plaindre. Je les connais bien, ce n'est pas nouveau. Avant tout, soyez très honnêtes, je ne vous gronderai pas : avez-vous volé des bonbons au magasin général ?

— NON ! affirmons-nous, Baptiste et moi, en chœur.

— Oui…, fait Cléo d'une petite voix.

Baptiste se retourne vers Cléo avec un demi-sourire.

— As-tu laissé une fleur au commerçant aussi ? Ha ! Ha ! Ha !

— Baptiste, ce n'est pas drôle ! C'est le maire et ses

acolytes qui vous cherchent. Ils adorent ce genre de chasse, ils n'abandonneront pas ! le prévient-elle.

— Oh, non ! dis-je. Les informations que Malvina a rapportées au maire, c'est ce qu'elle a vu sous sa forme de chauve-souris. Souvenez-vous quand nous sommes sortis du magasin après avoir parlé à Cléo-vivant pour la première fois, c'est peu après ce moment que la chauve-souris l'a poursuivi. Malvina a donc bel et bien la mémoire de la chauve-souris. Ceci confirme nos doutes.

— Elle m'aurait donc surpris à voler les bonbons, murmure Cléo.

— Comment aurait-elle pu te voir faire ça ? Tu n'es pas entré dans le magasin ! proteste Baptiste.

— J'y étais allé quelques minutes avant, précise Cléo. Quand on s'est cognés, lorsque tu sortais du magasin, Zoélie, j'y retournais parce que je voulais d'autres bonbons. J'avais aperçu une chose noire volante lors de ma première visite dans la boutique, c'était donc bien elle. Elle m'a sûrement vu en train de me remplir les poches.

— Cléooo..., dis-je d'un ton de reproche.

Mon ami esquisse un sourire gêné.

— Je sais, ce n'est pas bien de voler... ni d'entrer dans les maisons sans permission, soupire-t-il.

— Quels autres méfaits as-tu commis ? As-tu rôdé dans d'autres demeures que celle-ci ? demande Baptiste à Cléo.

Notre ami blond hoche la tête, affirmatif, en regardant le plancher.

— Alors, tu n'as pas volé que mes tartes ? s'enquiert Ange.

Cléo hausse les épaules.

— Je ne sais plus trop... C'est flou dans ma mémoire. Mais vous êtes la seule à qui j'ai donné une fleur en guise de remerciement, par contre ! En plus, les vôtres sont si délicieuses que c'est la raison pour laquelle je n'ai aucun souvenir des autres tartes, ajoute-t-il avec un sourire fier, comme si Ange devait lui en être reconnaissante.

— Et qu'en est-il de l'orphelinat ? As-tu brisé des choses là-bas avant de partir ? As-tu vraiment volé de la nourriture ? demande Ange.

— Malvina a menti. Je n'ai rien saccagé avant de fuir cet horrible endroit. Et je n'ai que volé le pain qu'elle avait empoisonné, dit-il.

À ces mots, je me retourne vers Baptiste et Cléo.

— Malvina n'a pas raconté que des mensonges, tu as bel et bien commis plusieurs des méfaits qu'ils ont mentionnés. Et ces hommes qui disaient t'avoir vu, ils n'inventaient donc rien, c'est ça ?

Cléo toise Ange qui se tient sur le seuil de la porte sans parler.

— J'ai aussi cassé quelques fenêtres chez le maire Biron. Mais il le méritait ! Il ne vous a pas dit qu'il poursuit les enfants qui passent sur son terrain avec son fusil, n'est-ce pas ?

Ange lui renvoie un regard découragé. Exactement celui que ma propre mère me fait quand elle est affligée de l'état pitoyable de ma chambre.

— Mais tu as cassé ses fenêtres !

— Et volé ses framboises..., dit Cléo avec un sourire espiègle.

— Cléo ! s'exclame Ange en fronçant les sourcils.

— Et ses pommes ! ajoute Cléo en s'esclaffant.

— Tu es... incorrigible ! Et après, tu es surpris qu'il te menace avec son arme. Si je ne t'aimais pas autant, je dirais que tu mérites d'aller dans cette fameuse école de réforme !

— J'ai bien volé vos tartes et vous n'avez pas brandi votre fusil ! rétorque Cléo avec une moue adorable.

Ange balaie l'air de la main.

— Tu te doutes bien que je ne possède pas d'arme, dit-elle.

— Une chance ! répond Cléo.

Maintenant vraiment inquiète, je décide de prendre la parole.

— Arrête de rigoler, Cléo, ce n'est pas drôle du tout ! Voler, casser les affaires d'autrui, c'est mal et ça fait du tort aux gens. De plus, à cause de tes méfaits, la situation vient de prendre une bien mauvaise tournure. D'après moi, Malvina détient dorénavant toute la mémoire du fantôme et elle est aussi vivante que nous tous. Elle a de son côté presque tous les hommes du village. Sa haine pour toi, Cléo, est sérieuse. Elle a une mission de vengeance envers moi, et ses liens avec Baptiste sont toujours une menace.

— Pourquoi serait-elle une menace pour moi ? demande Baptiste.

— N'oublie pas que c'est toi qui as réveillé son âme maléfique. Tu dois continuer à te méfier d'elle. Malvina sait que tu viens du futur et que tu es notre ami ! Cela fait de toi sa cible aussi.

— Nous voilà tous les trois recherchés comme des bandits, affirme Baptiste.

— Pensez-vous qu'il y aura des affiches avec notre portrait et une récompense pour notre capture ?

Cléo rigole.

— Ma tête mise à prix comme un vrai bandit ! Ça serait plutôt drôle. Je me demande quelle serait ma valeur, sur l'affiche... Au moins cent dollars, j'espère !

— Idiot, ça ne serait pas comique du tout ! dis-je en lui donnant une taloche.

— Ouch ! Tu m'as fait mal ! se plaint Cléo.

— Hé, c'est génial, maintenant tu ne me donnes plus de chocs dès que je te touche !

— Tu n'es pas drôle, Zoélie l'allumette !

— Ne m'appelle pas comme ça ! Cléo le gros nono !

— Je ne suis pas un gros nono ! proteste Cléo avec un sourire en coin. C'est toi la grosse nounoune ! Ha ! Ha ! Ha !

— Les enfants ! Arrêtez de vous chamailler ! fait Ange en levant les deux mains pour attirer notre attention.

Pendant que nous agissons en abrutis pour alléger l'atmosphère, Baptiste, qui ne rit pas du tout de nos bêtises, s'interpose entre nous, l'air décidé.

— Je devrais l'affronter une fois pour toutes. Malvina Biron doit se faire remettre à sa place ! grogne-t-il, les dents serrées.

— Non ! dit Cléo. J'ai changé d'idée. Je ne veux plus vous garder ici ! Ce que vous devez faire sans tarder, c'est retourner chez vous à votre époque ! Libérez-vous de mes problèmes !

Chapitre 10

Le brave Baptiste

Baptiste dévisage Cléo avec gravité. L'heure n'est plus aux chamailleries enfantines.

— Comment pourrions-nous partir et te laisser seul dans cette situation ? Nous ne ferons pas

une chose pareille ! N’est-ce pas, Zoélie ?

— Je suis tout à fait d’accord. Si nous partons, c’est avec toi, ou rien ! C’est mieux de te trouver une famille dans le futur que de te laisser aller à l’école de réforme !

— Les enfants, intervient Ange, il serait plus sage pour vous de retourner

dans le futur sans hésiter. Il ne sert à rien de vous faire capturer et envoyer dans un endroit d'où vous ne pourrez pas vous échapper. L'école de réforme n'est pas le paradis, loin de là. De mon côté, je vais veiller à ce que Cléo n'y aille pas non plus.

Baptiste me consulte du regard. Il semble si sérieux,

je ne l'ai jamais vu dans cet état !

— Comment allez-vous faire ça ? demande-t-il. Si Cléo est réellement coupable de tous ces mauvais coups, vous ne pourrez pas le protéger contre tous les hommes du village !

— Je pourrai me cacher dans la cave ! Ça ne serait

pas nouveau..., intervient Cléo.

— C'est invivable, là-dedans ! Tu n'es pas un rat !

— Zoélie a raison, Cléo, soupire Baptiste. Tu ne peux pas vivre dans une pièce aussi infecte. Nous restons tant que cette situation n'est pas réglée.

Cléo s'approche de nous, nous saisissant chacun par un bras.

— Il n'en est pas question. Je n'ai pas peur de l'école de réforme ! Allez-y tout de suite, mes amis. Sauvez-vous ! insiste-t-il.

Baptiste me lance un regard incertain, puis pose les yeux sur notre ami. Je suis figée, moi aussi, jusqu'à ce que je voie les yeux humides et rougis de Cléo. Je remarque aussi que sa lèvre inférieure tremble. Il est effrayé et peiné. Il souffre atrocement, mais nous demande courageusement de partir. Il veut que nous sauvions notre peau en le laissant derrière...

Baptiste semble avoir pensé la même chose que moi, parce qu'il se dégage de l'emprise de Cléo.

— Ce n'est pas sage, les enfants, dit Ange, avec émotion. Vous risquez gros en ne nous quittant pas tout de suite.

— Et vous risquez davantage si je ne fais pas ce que j'aurais dû faire

depuis le début ! dit Baptiste. Je maintiens mon plan de tout à l'heure, je vais parler à Malvina !

— Pour lui dire quoi ? demande Cléo d'un ton désespéré.

Baptiste lève le menton avec assurance.

— Je lui dirai que cette vengeance envers Zoélie

n’est pas nécessaire ! Que je ne pensais pas réellement ce que je disais quand je lui ai demandé ça. Je ne savais même pas que j’avais réveillé un fantôme. Ce n’était qu’une blague ! Je le lui ferai comprendre.

— C’est une bonne idée, Baptiste ! dis-je avec espoir. Tu pourrais certainement lui faire entendre raison !

— Non ! intervient Cléo. Malvina est folle. Elle ne fonctionne pas selon la logique. Quand elle a quelque chose en tête, elle ne l'oublie pas. Si tu l'affrontes, tu ne fais que t'exposer à sa méchanceté et personne ne pourra te protéger.

— Je vais essayer, dit Baptiste. Tu ne pourras pas m'en empêcher, Cléo.

Chapitre 11

Trois choix

C'est presque un combat de coqs. Cléo se place devant Baptiste, les épaules droites, le corps rigide, les poings sur les hanches. Baptiste adopte la même posture. Son visage est impassible.

— Laisse-moi passer, Cléo, lui ordonne-t-il.

— Non, fait Cléo. Il faudra me tuer avant.

— Je pourrais le faire, dit Baptiste. De toute façon, tu devais mourir aujourd'hui !

— Hé ! interviens-je. Arrêtez !

— Zoélie, ne te mêle pas de ça. C'est une conversation

entre nous deux, grince Baptiste sans cesser de fixer Cléo.

Baptiste est de plus haute taille que Cléo, mais ce dernier ne se laisse pas impressionner.

— Je m'en fiche, dis-je. Si vous continuez à faire les idiots, je vais y aller moi-même, régler le cas de Malvina !

D'un mouvement simultané, les deux garçons posent leur regard sur moi.

— Quoi ? dis-je. Vous ne m'en croyez pas capable ?

— Zoélie, m'interpelle Ange derrière moi, je pense que tu devrais te calmer. Que nous devrions tous nous calmer ! ajoute-t-elle avec un regard circulaire dans notre direction.

— Je sais ce que nous devrions faire, déclare Cléo.

— Quoi donc ? demande Ange.

— Nous devrions tous repartir dans le futur, à l'époque de Zoélie et Baptiste. Ange, tu dois venir avec nous !

— Ouais ! Bonne idée ! dis-je. Là-bas, tous ces

hommes qui nous cherchent seront sagement enterrés dans le cimetière et ne pourront pas nous faire de mal !

— Exactement ! dit Cléo. Même Malvina, puisqu'elle est vivante. Elle devra bien mourir à un certain moment d'ici les cent prochaines années !

Baptiste hésite, les poings serrés contre ses flancs. Il ne démord pas de son idée de défier Malvina. Il est très en colère. Mais comme le répétait toujours ma grand-mère : la colère est la pire émotion pour prendre une décision. Ça ne peut que mal finir ! disait-elle.

— Je ne vais nulle part tant que je n'ai pas affronté Malvina, insiste-t-il.

— Non, c'est moi qui y vais ! décide Cléo.

Crotte de ouistiti ! Je n'en peux plus de leurs chamailleries de petits coqs qui veulent étaler leur bravoure. Il faut agir au lieu de parler. Je décide de mettre mes culottes de

grande fille et de faire exactement ça : passer à l'action !

— Alors, cessons de placoter et allons au front ! Tous les trois, ensemble. Allez ! Qu'est-ce que vous attendez ?

Crotte de homard, qu'est-ce que je viens de dire là ? Ce que je propose avec tant d'aplomb, c'est de nous jeter dans la gueule du loup. C'est une erreur ! Je plaque une main sur ma bouche pour m'empêcher de proférer davantage d'idioties.

Les deux garçons s'immobilisent et me fixent, les yeux ronds et la mâchoire au plancher. Façon de parler. Disons

qu'ils sont sans mot, pour une fois.

— Zoélie... On ne peut vraiment pas faire ça, marmonne Cléo.

— Cléo a raison, ils sont une quinzaine d'hommes, ils vont nous capturer et nous emmener à l'école de réforme...

Je suis soulagée de leur réaction. Je n'aurai pas à me rétracter. C'est à mon tour de les dévisager.

— Alors, pourquoi vous obstinez-vous à vouloir le faire seul ? Écoutez, les gars. Nous avons trois choix : soit tenter la porte magique et décamper vers le futur, soit aller affronter Malvina, soit nous enfuir et vivre comme des enfants-loups dans les bois.

Les deux garçons demeurent muets, leurs regards passant de Ange à moi.

— Zoélie..., dit Baptiste d'un ton inquiet. N'est-ce pas des voix d'hommes qui proviennent du côté de la maison ?

Alertée par sa question, je me fige, les oreilles grandes ouvertes.

J'entends des pas dans l'escalier de bois, des chuchotements.

— Oh, mon Dieu ! Ils sont de retour !

Chapitre 12

Petit placard

— Qu'est-ce qu'on fait, qu'est-ce qu'on fait, qu'est-ce qu'on fait ? demande Baptiste comme s'il récitait une comptine.

Ange nous pousse vers la penderie. Ah ! Je connais cette cachette ! C'est exactement là que Baptiste

et moi nous étions dissimulés lors de nos premières minutes en 1903. Ce n'était qu'hier, pourtant j'ai l'impression étrange que nous sommes ici depuis des semaines.

— Cachez-vous là-dedans, tous les trois !

C'était déjà trop petit pour Baptiste et moi, je ne sais pas de quelle façon

nous allons pouvoir inclure Cléo sans mourir étouffés. Baptiste pénètre en premier dans le placard étroit et me tire contre lui. Je dois le pousser le plus fort possible vers le mur du fond pour que Cléo puisse se joindre à nous.

Baptiste est affolé, je le sens au rythme de son cœur,

tellement nous sommes coincés.

— J'ai... du... mal... à... respirer..., balbutie-t-il.

— Allez Cléo, ferme la porte ! dis-je en lui laissant le plus de place possible.

— Je ne peux pas, il n'y a pas assez d'espace ! s'exclame Cléo.

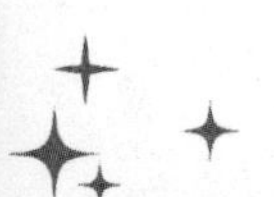

— Alors, va te cacher ailleurs ! grogne Baptiste.

— Non ! Ne nous séparons pas !

— Zoélie, je pense qu'on n'aura pas le choix.

Nos poursuivants se font plus bruyants, ils ne tentent même plus d'être discrets. La porte de côté de la maison s'ouvre dans un grand clac lorsque la poignée heurte le mur. Ils nous trouveront facilement, les pieds de Cléo dépassent du placard !

— OK, les gars. Je pense que nous n'avons pas le choix. Je vais compter jusqu'à trois. À trois, nous courrons de toutes nos forces vers la porte magique.

— Tu veux dire... qu'on s'en va dans le futur ? Juste comme ça ? bafouille Cléo.

— Je suis d'accord avec Zoélie, convient Baptiste. C'est notre seule issue.

— Mais je n'aurai pas de maison !

— On te cachera dans ma chambre jusqu'à ce qu'on

trouve une solution ! affirme Baptiste.

— Ce sera mieux que l'école de réforme, non ? dis-je.

— D'accord… allons-y !

Lorsque nous émergeons du placard, je pousse Cléo vers la porte magique, m'assurant en me

retournant que Baptiste n'hésite pas à nous suivre.

— Vas-y, je suis derrière toi, Zoélie, m'informe ce dernier.

— Ça va brasser, attention !

— Ils sont là ! s'exclame un des hommes.

— Attrapez-les tous les trois ! ordonne le maire Biron.

— Je croyais que nous ne voulions que le petit blondinet ? demande l'autre.

— Sortez de chez moi ! s'écrie Ange. Les enfants ! Sauvez-vous ! Retournez chez vous !

J'ai le temps de remarquer qu'elle tient son balai à deux mains et le brandit vers les intrus, leur frappant les épaules et le dos du plus fort qu'elle le peut.

— Au revoir, Ange ! Nous t'aimons très fort !

— Je vous aime aussi ! Vite ! La porte magique !

Le cœur battant et les joues en feu, nous atteignons notre but rapidement. Je ravale ma salive avant de tourner la poignée.

— Êtes-vous prêts, les gars ?

— OUI ! NOUS LE SOMMES !
— OUI ! NOUS LE SOMMES !

confirment-ils d'une seule voix.

— C'est parti !

La porte s'ouvre et nous en traversons le seuil en courant.

Lorsque nous arrivons de l'autre côté, sur le balcon de bois, rien n'a changé. Le cimetière est toujours un champ, le silence de 1903 nous entoure encore. Puis, nous l'apercevons, vêtue de noir et portant

un grand châle couvrant ses bras malgré la chaleur estivale : Malvina, le menton levé et le regard cruel, nous attend au bas de l'escalier.

Un sentiment de désespoir m'étouffe; ça n'a pas fonctionné. La porte n'est plus magique. Vivrons-nous le reste de notre vie dans l'ancien

temps ? Et puis, nous sommes dans un beau pétrin !

— Vous croyez aller où, comme ça, les enfants ? susurre notre ennemie d'une voix suave.

— Crotte de vautour !

Nous sommes cuits !

À suivre...